U0380661

因为有惯性呀！
惯性是静止的物体想要一直静止，运动的物体想要继续运动的性质。

版权合同登记号：图字：30-2021-018 号

图书在版编目（CIP）数据

啊！停不下来 /（韩）午觉文；（韩）顺美绘；徐刘硕译．-- 海口：海南出版社，2021.7
（小小科学家系列）
ISBN 978-7-5443-9977-7

Ⅰ．①啊… Ⅱ．①午… ②顺… ③徐… Ⅲ．①惯量－儿童读物 Ⅳ．①O313.3-49

中国版本图书馆 CIP 数据核字 (2021) 第 094198 号

啊！停不下来
A! TING BU XIALAI

作　　者：[韩] 午觉
绘　　者：[韩] 顺美
译　　者：徐刘硕
出 品 人：王景霞　谭丽琳
监　　制：冉子健
责任编辑：张　雪
策划编辑：高婷婷
责任印制：杨　程
读者服务：唐雪飞
出版发行：海南出版社
总社地址：海口市金盘开发区建设三横路 2 号
邮　　编：570216
北京地址：北京市朝阳区黄厂路 3 号院 7 号楼 102 室
印刷装订：北京雅图新世纪印刷科技有限公司
电　　话：0898-66812392
　　　　　010-87336670
邮　　箱：hnbook@263.net
版　　次：2021 年 7 月第 1 版
印　　次：2021 年 7 月第 1 次印刷
开　　本：787mm × 1 092mm　1/12
印　　张：3
字　　数：37.5 千字
书　　号：ISBN 978-7-5443-9977-7
定　　价：49.80 元

[韩] 午觉 文　[韩] 顺美 绘
徐刘硕 译

海南出版社
· 海口 ·

星星骑着新买的自行车，
去游乐园玩。
今天是举办“小丑魔术秀”的日子。
星星开心地哼着歌。

这时，
马路中间突然出现了一块大石头。
“啊！怎么办？”
星星想赶紧停下自行车，
却怎么都停不下来。

ttural "klock kl
ête, reconnaissables
d'avant en arrière.
qui, avant d'éclore,
popstars enregistrant
ondées.
at volu
amour :
DIOR ADDICT
superposer une
Addict Lip Maximiz
Activ
es quelques utilisation
ick de DIOR ADDICT LIP G
eut présenter une coloratic
ense à son extrémité. Es
igneusement afin d'
omène.
un de Stef Penney
POUSSÉ PAR UN VENT
à la puissance des histoires
épique, roman
paradoxal:
urras et leur guttural "klock kl
aussi des jacanas à crête, reconnaissables
eur mouvement de tête d'avant en arrière.
artout des fleurs de lotus qui, avant d'éclore,
ressemblent [illegible] de popstars enregistrant
la symphon [illegible] inondées.

啊！

啊！
嘭

星星就这样
撞在了大石头上。

这时，乘坐公交车的动物朋友们
正好看到了这一幕。
“星星，这是怎么回事呀？”
“星星，你没事吧？”

“我想让自行车停下来，但是它却一直向前走。这才撞上了大石头，摔了一跤。”

朋友们呼呼地吹着星星摔红的膝盖。

“怎么办，看魔术秀就要迟到了……”

“不会的。星星，快上车。

我们也要去看魔术秀。”

听到熊叔叔的话，星星开心地笑起来，

坐上了公交车。

“好，出发了。孩子们，抓紧扶手。”

熊叔叔的公交车出发啦！

大家的身体一下子全都向后倒去。
公交车向前走，身体却向后倒。

公交车吱的一声，
在红灯前停了下来。

大家的身体又一下子全都向前倾。
这次公交车虽然停住了，但是身体却往前跑。

“熊叔叔，为什么身体一会儿往后倒一会儿往前倾呀？”

大家纷纷问熊叔叔。

“哈哈，这是因为静止的物体想要一直静止，

而运动着的物体又想一直运动。

这就是惯性呀！”

是惯性呀，惯性！

身体是静止不动的。

身体为了保持原来的位置，就要向后倒。

身体正在向前运动。

身体为了按照原来运动的方向一直运动，就会向前倾。

熊叔叔的公交车终于到达了游乐园。

大家第一时间去了演出现场，看魔术秀。

小丑叔叔穿着滑稽的衣服站在舞台上宣布：

“魔术秀，现在开始。”

大家高兴地鼓掌、欢呼。

“苏里苏里玛苏里！不许动！

1、2、3，嘿！”

小丑叔叔一下子抽出垫在花瓶下的桌布，

但是，那个看起来要倒下的花瓶还待在原地。

“是惯性啊，惯性！”

星星最先大声说出来，

朋友们也紧跟着喊道。

小丑叔叔对着大家开心地笑起来。

大家从演出场出来

一起坐上了旋转木马。

滴溜溜、滴溜溜。

“要是这么好玩的旋转木马，
能永远不停就好啦！”
听了星星的话，大家一起哈哈大笑起来。

“这里也有惯性！那里也有惯性！”

游乐园里充满了有趣的惯性。

大家一整天都在寻找惯性，玩得开心极了。

惯性无处不在

虽然我们的眼睛看不到，但其实我们一直生活在惯性法则中。接下来我们一起看一看，惯性法则在生活中是如何起作用的吧。

当我们想要掸掉被子上的灰尘时

拍打被子，被子上的灰尘就会自己掉下来。因为被子在运动，而灰尘有惯性，所以灰尘会停留在原来的位置上，从运动的被子上掉下来。当我们掸掉衣服上的灰尘时，也是因为同样的原理。

当我们关掉正在运转的风扇时

想一想，当我们关掉正在嗖嗖转动的风扇时，风扇是不是过一阵子才会停下来。这就是因为惯性，风扇要继续转动，所以才不会立刻停止。

当我们想要让秋千停下时

当正在摆动的秋千突然停下时，我们的身体就会向前飞出去。这是因为身体有惯性，虽然秋千停下来了，但是身体由于惯性想要一直向前运动。所以，荡秋千的时候要慢慢停下来。

当我们乘坐电梯的时候

电梯要下降的一瞬间，身体是不是有种腾空的感觉？这是因为停着的电梯突然下降的时候，人们由于惯性要保持原来静止的状态，身体就会产生一瞬间的腾空。

【实验小游戏】

发射惯性之箭吧

我们可以利用惯性的原理让箭飞出去。现在让我们一起来制造箭头，然后试着了解惯性的原理吧！

准备

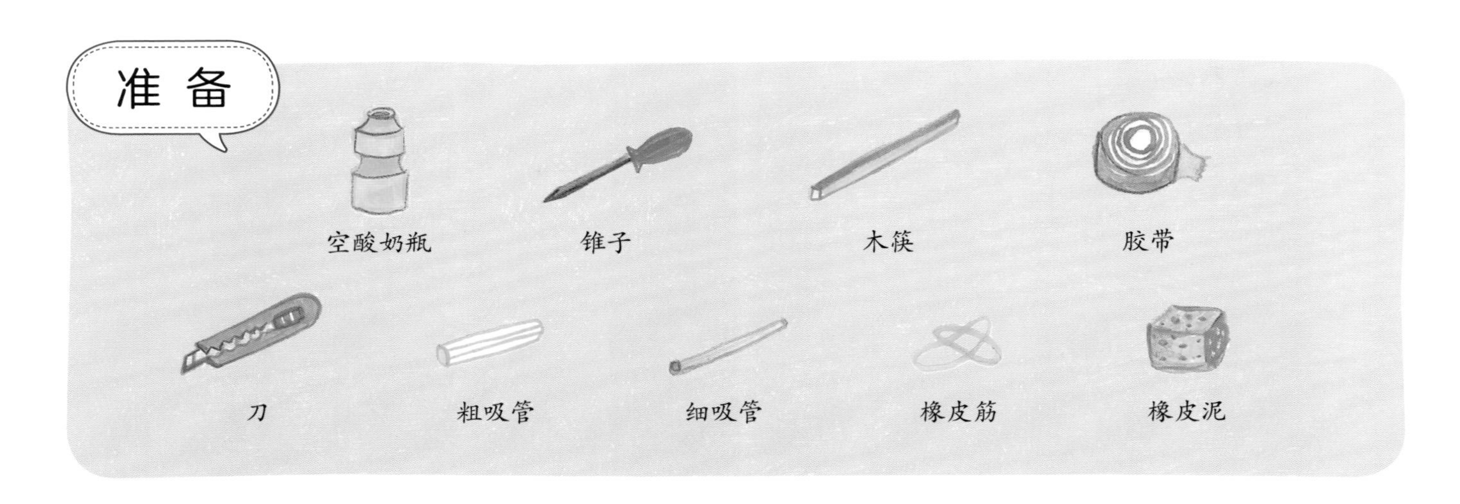

制作过程

用锥子在酸奶瓶的侧面对穿两个孔，然后插入木筷。

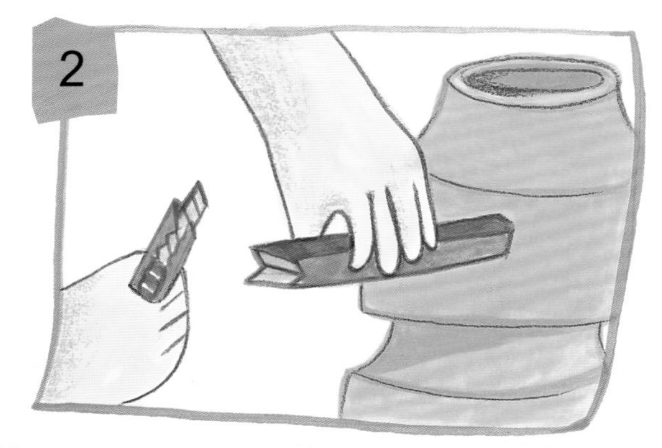

用刀在木筷的两端挖出凹槽，预备把橡皮筋挂在凹槽上。

在酸奶瓶的侧面与木筷垂直的方向，再用锥子对穿两个孔，然后插入细吸管。

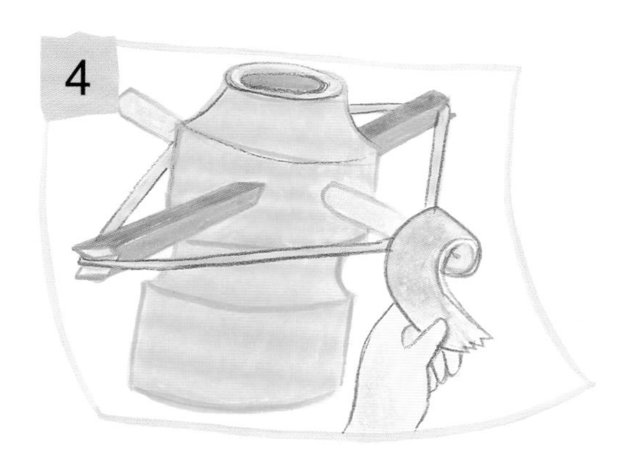

将细吸管的一端稍微折起并挂上橡皮筋，再用胶带牢牢地粘住。

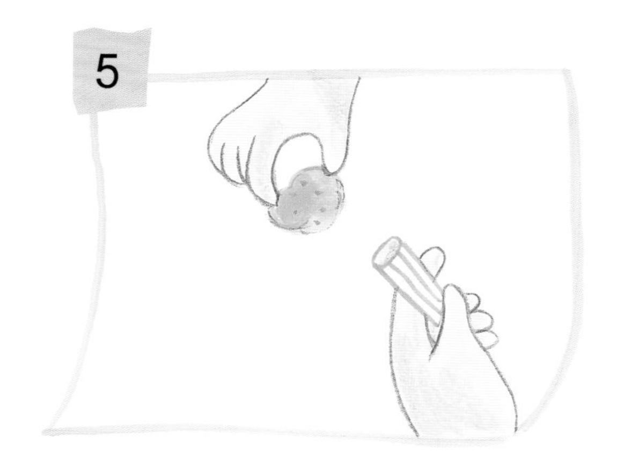

将粗吸管剪成2～3厘米的长段，一端粘上橡皮泥，另一端套在未缠胶带的细吸管上。

这时拉动橡皮筋再松开会发生什么呢？

看到粗吸管和橡皮泥飞走的样子了吗？当我们拉动橡皮筋再松开时，粗吸管会像箭一样向前飞出去。因为细吸管被胶带牢牢地粘在橡皮筋上，当细吸管停止运动时，惯性就会使套在上面的粗吸管继续运动，向前飞出去。

一起做快乐科学问答

问题一 大家在乘坐公交车时，身体都向前倾了。
请问公交车现在是怎样的状态？请在下列选项中选择。

① 嗖嗖！公交车开心地行驶中。

② 嘎吱！公交车突然停了下来。

③ 静止！公交车已经停了很久。

④ 轰隆！公交车突然间出发了。

问题二 魔术师叔叔要抽出餐桌上的桌布，使花瓶保持原地不动来展示神奇的魔术。
那么魔术师叔叔应该怎么样拉动桌布呢？

① 按照箭头方向瞬间拉动桌布。

② 按照箭头方向慢慢拉动桌布。

③ 按照箭头方向瞬间拉动桌布。

④ 抓住桌布的两边，瞬间拉动桌布。

正确答案：问题一 ② 问题二 ①